THIS WEE BOOK BELONGS TAE:

....

MA WEE BOOK O' GETTIN' SH*TE DONE

By **Susan Cohen**
Illustrated by **Jane Cornwell**

Text copyright © 2019
Susan Cohen www.susancohen.co.uk

Illustration copyright © 2019
Jane Cornwell www.janecornwell.co.uk

A CIP record of this book is available from the British Library.

Paperback ISBN 978-1-9164915-4-0

First published in the UK in 2019 by The Wee Book Company Ltd.
www.theweebookcompany.com

Printed and bound by Bell & Bain Ltd, Glasgow.

SUSAN, THE AUTHOR, LIK'S TAE GET SH*TE DONE LYIN' DOON OAN THE SOFA IN FRONT O' THE TELLY WI' THE CURTAINS CLOSED, THE 'PHONE AUF AN' A SLEEKIT WEE CAN O' IRON BREW AN' A BAR O' CHOCOLATE AS BIG AS HER HEID.

JANE, THE ILLUSTRATOR, LIK'S TAE GET SH*TE DONE WI' HER DARLIN' WEE BRANDY AT HER FEET AN' A PAINTBRUSH IN HER HAUND.

THERE'S NO SUCH THING AS BAD WEATHER, ONLY THE WRONG CLOTHES.

BILLY CONNOLLY

SAY HULLO TAE YER WEE BOOK!

Say a big hullo tae yer new best pal, yer ain Wee Book o' Gettin' Sh*te Done. This is gaun tae be the kind o' pal tha' staunds aside ye, slaps ye oan the back an' cries 'ye can dae this, ye belter!' Aye, this is gaun tae be the kind o' pal thit thinks ye're jist the bees knees – a stoatin' superhero!

A'body needs sumwan or sumthin' tae help ye through the stuff ye huv tae face frae day tae day. Sumtimes a' thon stuff can pile up 'til it a' looks an' feels like wan muckle great pile o' sh*te.

Weel, this Wee Book's gaun tae help ye find wiys tae tackle a' tha'. Naw, ye're nae gaun tae be telt tae get a shovel an' start diggin' – it's nae tha' kind o' sh*te we're talkin' aboot here – but ye are gaun tae git yer paws oan sum tools tae help ye get intae the clear!

IS IT A' KICKIN' AUF?

C'moan, ye ken fine well a' aboot thon mingin' stuff, don't ye? It's a' aboot the stuff o' grown up life, an' it's a' aboot huvin' too much o' it tae dae, an' feelin' thit ye've no' got enuf time tae dae it in.

Aye, sumtimes ye can feel as if ye're unner pressure, jist lik' it's a' aboot tae kick auf oan thae terraces at Hampden on a baltic Wednesday nicht when Scotland's five-nil doon tae a team frae Tim-buk-chuffin'-tu an' the numpties huv ran oot o' hauf time pies an' thon Bovril foontain hus run dry. A' it wuid tak' is wan wrang wurd frae sum bawheid an' there'd be a rammy. Aye, nerves wuid be shredded an' strung as tight as a drum oan the back row o' the pipe band.

TAK' A LOOK

Tak' a guid look roond aboot ye. Ye ken ye huv tae get oan top o' the stuff o' life if ye want tae actually huv a life, don't ye? An' sumtimes ye e'en huv tae organise fowk roond aboot ye tae! Mind, tha' can feel lik' herdin' cats!

Aye, mebbes yer boss is oan the radge … yer wurkmates are runnin' fur cover … yer weans are gaun mental … yer neighbours are screamin' … yer dugs are howlin' … yer guinea pigs are scuttlin' … yer phone's shooglin' … yer laptop's burstin' … yer hoose is in a bourach … roof's leakin' … telly's oan the blink … broon envelopes pilin' up … nae swally in the fridge … nae Tunny teacakes in the cupboards. Bet ye recognise sum o' tha', eh? Jings, it can feel as if yer last piece is fallin' jammy side doon!

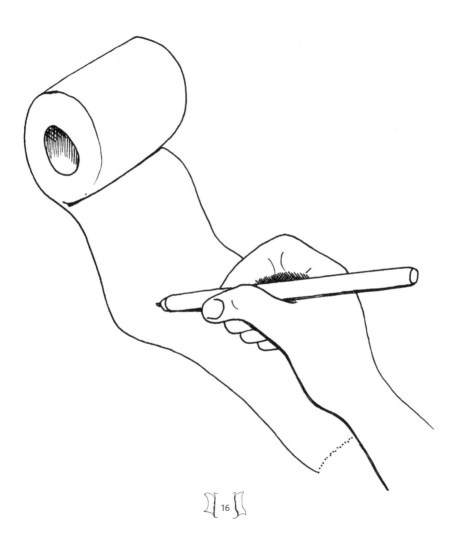

WHERE TAE START?

Weel, we've a' bin there, pal – so we huv. It sumtimes feels lik' ye're jist facin' wan muckle great steamin' pile o' sh*te an' ye dinnae ken wha' tae tackle furst, so guess wha'? Ye gie up afore ye've even startet! Ye jist park yer erse oan the couch an' let a' thon rubbish pile up 'til it a' ends up the size o' Ben Nevis. By tha' time, ye feel as if ye need a pair o' jump leads, a hoist an' hauf a dozen cans o' jump juice tae e'en think aboot movin' yer erse tae git up oan yer trotters tae face it a'! Weel, tha's nae guid. So, how are ye gaun tae git a' thon sh*te done?

LISTS? NAE USE TAE MAN NOR HAGGIS!

Whit huv ye done up 'til noo? Huv ye gone an' done lists? Huv ye made a list, then anither an' yet anither wan, then ye've topped it a' auf wi' post-it notes stuck a' aroond the place, backed it a' up wi' lists oan yer phone, yer iPad, yer PC ...??? Aye, ye've tried a' thit, huvn't ye? Hus it worked fur ye? Hus it buggery! Ye micht as well flush a' thae lists awa'. They're nae use tae man nor haggis.

MAIR OR LESS STRESSED? MAIR, O' COURSE!

It's odds oan thit thae endless tae-dae lists huv ended up makin' ye feel mair stressed than when ye startet! Sure, yer lists can turn intae anither source o' napper-nippin' clatters. Aye, thae wee buggers jist sat a' smug an' smart-ersed, sneerin' doon at ye frae their pages, makin' ye feel lik' ye're fallin' short. Thae lists soon throw themsel's oan top o' thon muckle great pile o' sh*te, makin' it e'en bigger! Weel, they can jist jog oan. An' when they git there, they can jog oan sum mair!

Och, a'most naebody can crack through thae lists thit mak' ye run a' roond the place, daein' thon scatter-gun multi-taskin' thing. C'moan, huv ye iver met onywan who can play thae pipes, fill their motor up wi' petrol, check their bank statements, mak' a'body's packed lunches, hoover their stair carpet, re-tune their telly, clear oot their fish tank, paint their spare room, bake a Vicky sponge, weed their flowerbeds, unblock their lavvy an' help their weans wi' their algebra hamewurk withoot gaun chuffin' doo-lally? Thing is, studies huv shown thit when wur brains are faced wi' muckle great lists, they want tae shut doon. Naw, a' tha' jugglin' is jist nae gaun tae wurk.

BE KIND TAE YERSEL'

The best thing is tae tak' it nice an' slow. Start lookin' at yersel', cos it a' starts wi' YOU. Mind, be kind tae yersel', eh? Ye're a chuffin' great human bein' wi' a busy dreamin' brain, but mebbes it's time tae gie it a bit o' a haund tae help it deal wi' the stuff o' life.

PUT OOT THAE FIRES!

Noo, afore ye dae onythin' else, it's time tae start liftin' yer heid up tae look a' thon stuff thit's jumpin' an' screamin' an' jist cannae wait a meenit longer. Jeez-oh, ye ken thit stuff, don't ye? Thit stuff thit's sae hot it's oan fire? Thit stuff thit's been giein' ye the heebeegeebies? Weel, tackle thon smokin' stuff furst 'cos if ye dinnae, it'll burn mair than yer fingers. Richt then, wance ye've tackled the flamin' burny stuff, sit back an' tak' a guid hard look at thon pile thit's left tae dae – aye, thit stuff thit's richt in front o' yer snout.

A' THE TOP O' THE PILE

Are ye lookin'? Weel, look closer cos there's jist wan thing richt a' the top o' thit pile thit's important – YER LIFE! How are ye gaun tae find the energy tae create the life ye want if ye feel thit ye're firefightin' a' the time? Thit's nae chuffin' use, is it? Naw, naw. So mebbes noo's the time tae decide wance an' fur a' thit ye're no' gaun tae live a life o' firefightin' ony longer. Say it oot loud an' clear …

NAE MAIR FIRE FIGHTIN' FUR ME!

Thing is, if ye're a'ways puttin' oot the flames, ye've git nae time or energy tae enjoy yer life or mak' proper plans fur yer future an tha's pure mince, by the way. Ye want tae step ootside an' smell the thistles, eat a pie in the park, go winchin' efter dark, write thon Fifty Shades o' Tartan book, get tae the top o' a mountain an' tak' a guid lang look at a' the chuffin' awesome stuff a' aboot ye!

SHAKE IT UP!

Aye, noo it's time git yer groove oan an shake it up (jings! We've come o'er a' hip an' cool an' tha'). Ye're gaun tae dae sum stuff tae git yer brain oanside as ye move oan, so hang oan tae yer bunnet! Afore ye ken it, there'll be nae mair piles o' sh*te naywhere! An' as fur firefightin', och, there willnae be as much as a wee warm glowin' ember onywhere near ye. Ye'll be makin' changes so thit ye can plan it a' oot jist thit bit better an' apply yer mind tae yer life an' whit ye want tae dae wi' it.

Whilst we're oan the subject then, jist wha' is it ye want tae dae? Huv a hooley oan a narrowboat lookin' up at the Kelpies? Start baggin' thae Munros wan by wan? Ride a tandem doon the Troon sea front? Open a cattery? Open a scabby wee doggery? Wha' is it tha' ye dream o'? Weel, stick wi' this Wee Book an' watch yer dreams float back tae ye an' tha' feelin' o' bein' overwhelmed drift awa' frae ye. Aye, yer Wee Book'll start tae mak' ye smile 'til fowk think ye're glaikit, an' it'll gie ye hope o' real change.

A'THING STARTS WI' US!

Weel, tae crack oan wi' the task of gettin' the shite done, wha' we huv tae dae is ask wursel's a BIG question: How did a' this shite pile up in the furst place? We huv tae be honest whither we lik' it or no' cos chances are we cuid dae sumthin' tae stop the mingin' stuff frae pilin' up sae high the next time ... an' the next time ... an' the next time ... cos, like it or no', a'thing starts wi' us!

'So, how's ma Wee Book gaun tae help me git startit?' ah hear ye cry (aye, ah hear ye! Fine pair o' lungs ye huv!). Weel, it's gaun tae gie ye a framework tae stick tae ivry day, an' o'er time yer whole wiy o' tacklin' the stuff o' yer life will start tae change aroond ye. Haud oan tight! This is gaun tae be a game-changer!

LISTEN UP NOO COS THIS IS HOW IT'S GAUN TAE GO (JINGS! BOSSY OR WHA'?):

STEP WAN — JIST DAE THREE THINGS!

Start each day by thinkin' o 3 things ye're gaun tae dae an' mak' them yer priority. Aye, time tae git yer erse in gear ivry day regular, instead o' leavin' it a' tae pile up. O' course ye can dae mair than 3 things if ye want tae, but only efter ye've done thae top 3 things (whoa! Bossy agin? Holy toot!). Write them doon, focus oan them, tick them auf — thon job's a guid wan!

STEP TWO – STEP RICHT INTAE YER HAPPY NAPPER!

Write doon wan thing tha' maks ye happy ivry day cos if ye focus oan whit ye're gratefoo fur, it adds happiness tae yer life. So, whit's it gaun tae be? Slippin' yer semmit o'er yer heid, a' roasty-toasty frae the radiator? Findin' a parkin' space richt ootside the office? Huvin' a wee robin perchin' oan yer windae sill? Findin' an extra battered white puddin' in yer munchie box? Snugglin' doon fur an early nicht wi' a boxed set, a flycup o' tea an' a hobnob? Gaun oot oan the razzle wi' yer best pal an' his mad mental bampot brother? Och, whitever maks ye happy ivry day, write it doon, really step intae it, let it sink intae yer napper. Be aware o' a' the happy stuff aroond ye an' ye'll soon get intae a gratefoo happy habit!

STEP THREE — DARE TAE DREAM!

DREAM...

Mak' lik' yon braw wee songstress Susie Boyle an' dare tae dream a dream. Set yer dreams doon oan paper, let them sink richt intae yer napper an' o'er time, set aboot makin' yer dreams come alive! It's manifestation, they cry it – so try it!

STEP FOUR – CHANGE YER HABITS!

Way back when, the poet John Dryden said:

We first make our habits, and then our habits make us.

Crackin', eh? Weel, how about if wur habits made us bigger, braver, healthier, happier an' less stressed? Ah' wha' if they gave us back enuf energy tae tend tae wur big life plans?

Weel, fur starters look back o'er thae furst three steps. If ye stick wi' thae three steps throughoot the course o' this Wee Book, they'd become new habits!

See? Guid habits rewire wur heids. Mind, it's no' a creepy Wan Flew O'er the Cuckoo's Nest thing. There's none o' thae weird-oh maraudin' gadgies in the white coats runnin' efter us wi' electric wires between their teeth. Naw, rewirin' wur heids is a natural thing an' it's up tae wursel's tae bring it aboot. It's a' tae dae wi' how wur brains wurk, an' guess whit? It's pure magic!

We've a' git wee pathways in wur brains which change accordin' tae how much we practice the changes we want to mak'. It's cried neuroplasticity. Huv ye heard o' it? Bet ye huv! It's pure deid brilliant cos it means thit if we want wur brains tae change tae mak' wur lives better, whit we huv tae dae is feed wur brains wi' guid stuff ivry day so wur brains can start wurkin' fur us an' nae against us. Soon, it'll a' come as natural as scoofin' doon a flycup o' tea.

Noo, thae habits deserve a wee bitty attention. Think oan …

Wha' if furst thing in the mornin', wur habit is loungin' aroond oan the couch, scoofin' doon a double lorne sausage an' haggis bap wi' a tattie scone chaser watchin' breakfast telly? It's gaun tae show up oan the size o' wur erses an' in wur moods fur the rest o' the day, sure?

But what if we changed thon habit? Wha' if we startet tae leap oot o' wur scratchers an' git straicht intae some exercise gear, heidin' fur the park, trottin' roond, gettin' fresh air intae wur lungs an' gettin' wur blood pumpin'? Things wuid start tae turn aroond, would they no'? Aye, sure they would!

See? So, tak' it nice an slow, wan thing at a time. The aim is tae git wur energy up an' be oan top o' wur lives! Wha's tha' they say? How dae ye eat an elephant? Wan bit at a time!

So, whit ither habits can be tackled? Aye, aye, course ye've git yer ain ideas, sure but still, here's a few wee suggestions:

MIND O'ER MATTRESS

Dae ye want tae win the battle o' the bed? Get up oot o' yer scratcher early an' get gaun! Get yer energy up, ready fur the start o' a new day!

WURKIN' NINE TAE FIVE

Dinnae tak' yer wurk hame wi' ye, an' if ye wurk frae hame, clock auf pronto! It's thon wurk-life balance ivrywan bangs oan aboot.

A' wurk an' nae play mak's Jock a dull laddie!

WURKIN' OOT

The NHS has it sussed oan this wan. Look at this:

The secret to getting fit ... is to use every opportunity to be active.

Keep it simple then, eh? Ditch thae stilettos an' walk tae yer wurk ... save yer fare an' gie the bus the hipsway ... tak' the stairs instead o' the foosty wee lift ... dae sum stretches when the tatties are oan the cooker ... dae sum sit ups when the curry's in the pinger ...

YER SCRAN AN' SWALLY

There are hunners o' diets oot there, an' thoosands o' articles oan thon interweb thingumay tellin' ye how tae eat an' how tae drink in the best wiy fur yer health.

Whit tae dae?

Jings, whit tae dae?

Ye decide fur yersel' but whitever ye decide tae eat an' drink, dae it responsibly, gie it some thoct, dae it a' in a mindfoo wiy – a' o' the above!

CALM YER NAPPER

Watch how yer heid starts tae clear when ye sit in silence ivry day.
Nae weans, nae screens, nae wee scabby dugs, nae stramash, nae
nothin'. Jist calm yer napper richt doon. It's a bit lik' re-bootin' yer
laptop, but nae really.

TIME TAE PLEASE YERSEL'?

Aye, so ye run aroond efter a'body else, don't ye? But whit aboot YOU? Whit dae ye dae tae mak' yersel' happy? Think oan. Start pleasin' yersel'. Stop pleasin' a'body else. Ye cannae mak' a'body happy – ye're nae a Curly Wurly.

FINISH YER DAY — MAK' LIKE THAE FROZEN FOWK AN' LET IT GO—O—O

Wus it a stoater o' a day or a bugger? Whitiver it wus, write it a' doon, cry it a' oot, write it a' oan a bit o' lavvy paper an' flush it awa' – jist lerritgo.

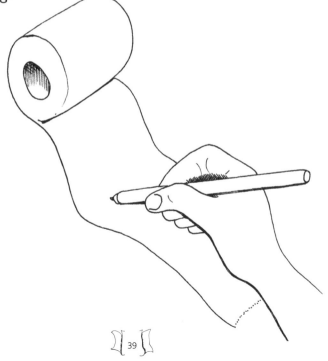

Okey dokey, so it's time tae mak' wur choices – TIME TAE CHOOSE WUR NEW HABITS! 'An' how dae we git ony o' wur new choices tae become proper easy-as-breathin' habits?' ah hear ye cry (see? Ah telt ye ah cuid hear ye!). Weel, we need tae repeat an' repeat sumthin' we choose tae dae again an' again ivry day o'er twa months, at least – 66 days they say. SIXTY-SIX DAYS!

Mind, it's no' the same fur ivrywan or fur ivry habit but jeez-oh, efter 66 days, ye're weel oan yer wiy tae change. Efter tha', chances are tha' yer new choice hus become a habit, jist as easy as breathin'. Sure it taks time an' commitment, but it's wurth it! Wance we git guid, strong, positive, healthy habits oan the go, wur lives start tae change fur habits shape wur lives.

Wha' dae habits shape? Wur lives! Jings, ah think we've got it!

We'll jist cry it frae thae rooftops wan mair time though, eh?

HABITS SHAPE WUR LIVES!

So, this is whit we're gaun tae dae. Listen up noo. Are ye listenin'? Aye, so ye are.

Richt, yer Wee Book is gaun tae be wi' ye fur the next 66 days. Aye, it'll be wi' ye ivry step o' the wiy! Fill in ivry page furst thing in the morn, if ye can, an' o'er the weeks, watch how yer life changes. Ye'll be creatin' a new positive game-changin' set o' neural pathways (whoa! Where did thae big wurds come frae? Och, ye ken wha' ah'm talkin' aboot. If no', ask yon google gadgie!).

Ye'll start tae get stuff done well afore thae flames start burnin', ye'll start tae focus oan wha' mak's ye happy, ye'll start tae think aboot wha' ye want in yer life an' ye'll get on yer way tae form new, life-changin' habits. So, stick wi' it! It'll a' be worth it. This Wee Book's yer new best pal, the wan tha' cries, 'ye can dae this, ye belter!' Aye, so ye can.

Gaun yersel'!

YER DAY TAE DAY JOURNAL

DAY NUMBER 1 .... DATE: ....

THAE THREE THINGS AH MUST DAE:

1: ....

2: ....

3: ....

WHA'S PUTTIN' A MUCKLE GREAT SMILE OAN MA COUPON? ....

....

....

WHA' ARE MA DREAMS? ....

....

....

HOWSE MA NEW HABITS COMIN' ALANG? ....

....

DAY NUMBER 2

DATE:

THAE THREE THINGS AH MUST DAE:

1:

2:

3:

WHA'S PUTTIN' A MUCKLE GREAT SMILE OAN MA COUPON?

WHA' ARE MA DREAMS?

HOWSE MA NEW HABITS COMIN' ALANG?

DAY NUMBER 3   DATE: ....

THAE THREE THINGS AH MUST DAE:

1: ....

2: ....

3: ....

WHA'S PUTTIN' A MUCKLE GREAT SMILE OAN MA COUPON? ....

....

....

WHA' ARE MA DREAMS? ....

....

....

HOWSE MA NEW HABITS COMIN' ALANG? ....

....

DAY NUMBER 4

DATE: ....

THAE THREE THINGS AH MUST DAE:

1: ....

2: ....

3: ....

WHA'S PUTTIN' A MUCKLE GREAT SMILE OAN MA COUPON?

....

....

WHA' ARE MA DREAMS?

....

....

HOWSE MA NEW HABITS COMIN' ALANG?

....

DAY NUMBER 5

DATE:

THAE THREE THINGS AH MUST DAE:

1:

2:

3:

WHA'S PUTTIN' A MUCKLE GREAT SMILE OAN MA COUPON?

WHA' ARE MA DREAMS?

HOWSE MA NEW HABITS COMIN' ALANG?

DAY NUMBER 6

DATE: ....

THAE THREE THINGS AH MUST DAE:

1: ....

2: ....

3: ....

WHA'S PUTTIN' A MUCKLE GREAT SMILE OAN MA COUPON?

....

....

WHA' ARE MA DREAMS?

....

....

HOWSE MA NEW HABITS COMIN' ALANG?

....

DAY NUMBER 7   DATE:
....

THAE THREE THINGS AH MUST DAE:

1:
....

2:
....

3:
....

WHA'S PUTTIN' A MUCKLE GREAT SMILE OAN MA COUPON?
....

....

....

WHA' ARE MA DREAMS?
....

....

....

HOWSE MA NEW HABITS COMIN' ALANG?
....

....

DAY NUMBER 8

DATE: ....

THAE THREE THINGS AH MUST DAE:

1: ....

2: ....

3: ....

WHA'S PUTTIN' A MUCKLE GREAT SMILE OAN MA COUPON?

....

....

WHA' ARE MA DREAMS?

....

....

HOWSE MA NEW HABITS COMIN' ALANG?

....

DAY NUMBER 9   DATE:
....

THAE THREE THINGS AH MUST DAE:

1:
....

2:
....

3:
....

WHA'S PUTTIN' A MUCKLE GREAT SMILE OAN MA COUPON?
....

....

....

WHA' ARE MA DREAMS?
....

....

....

HOWSE MA NEW HABITS COMIN' ALANG?
....

....

DAY NUMBER 10   DATE:
....

THAE THREE THINGS AH MUST DAE:

1:
....

2:
....

3:
....

WHA'S PUTTIN' A MUCKLE GREAT SMILE OAN MA COUPON?
....

....

WHA' ARE MA DREAMS?
....

....

HOWSE MA NEW HABITS COMIN' ALANG?
....

....

DAY NUMBER 11   DATE:
....

THAE THREE THINGS AH MUST DAE:

1:
....

2:
....

3:
....

WHA'S PUTTIN' A MUCKLE GREAT SMILE OAN MA COUPON?
....

....

....

WHA' ARE MA DREAMS?
....

....

....

HOWSE MA NEW HABITS COMIN' ALANG?
....

....

DAY NUMBER 12   DATE:

THAE THREE THINGS AH MUST DAE:

1:

2:

3:

WHA'S PUTTIN' A MUCKLE GREAT SMILE OAN MA COUPON?

WHA' ARE MA DREAMS?

HOWSE MA NEW HABITS COMIN' ALANG?

DAY NUMBER 13   DATE:
....

THAE THREE THINGS AH MUST DAE:

1:
....

2:
....

3:
....

WHA'S PUTTIN' A MUCKLE GREAT SMILE OAN MA COUPON?
....

....

....

WHA' ARE MA DREAMS?
....

....

....

HOWSE MA NEW HABITS COMIN' ALANG?
....

....

DAY NUMBER 14   DATE:

THAE THREE THINGS AH MUST DAE:

1: ....

2: ....

3: ....

WHA'S PUTTIN' A MUCKLE GREAT SMILE OAN MA COUPON?

....

....

WHA' ARE MA DREAMS?

....

....

HOWSE MA NEW HABITS COMIN' ALANG?

....

DAY NUMBER 15   DATE:
....

THAE THREE THINGS AH MUST DAE:

1:
....

2:
....

3:
....

WHA'S PUTTIN' A MUCKLE GREAT SMILE OAN MA COUPON?
....

....

....

WHA' ARE MA DREAMS?
....

....

....

HOWSE MA NEW HABITS COMIN' ALANG?
....

....

DAY NUMBER 16

DATE: ....

THAE THREE THINGS AH MUST DAE:

1: ....

2: ....

3: ....

WHA'S PUTTIN' A MUCKLE GREAT SMILE OAN MA COUPON?

....

....

WHA' ARE MA DREAMS?

....

....

....

HOWSE MA NEW HABITS COMIN' ALANG?

....

DAY NUMBER 17   DATE:

THAE THREE THINGS AH MUST DAE:

1: ....

2: ....

3: ....

WHA'S PUTTIN' A MUCKLE GREAT SMILE OAN MA COUPON?

....

....

....

WHA' ARE MA DREAMS?

....

....

....

HOWSE MA NEW HABITS COMIN' ALANG?

....

....

DAY NUMBER 18

DATE:

THAE THREE THINGS AH MUST DAE:

1:

2:

3:

WHA'S PUTTIN' A MUCKLE GREAT SMILE OAN MA COUPON?

WHA' ARE MA DREAMS?

HOWSE MA NEW HABITS COMIN' ALANG?

DAY NUMBER 19   DATE:
....

THAE THREE THINGS AH MUST DAE:

1: ....

2: ....

3: ....

WHA'S PUTTIN' A MUCKLE GREAT SMILE OAN MA COUPON?
....

....

WHA' ARE MA DREAMS?
....

....

HOWSE MA NEW HABITS COMIN' ALANG?
....

....

DAY NUMBER 20   DATE:
....

THAE THREE THINGS AH MUST DAE:

1:
....

2:
....

3:
....

WHA'S PUTTIN' A MUCKLE GREAT SMILE OAN MA COUPON?
....

....

....

WHA' ARE MA DREAMS?
....

....

....

HOWSE MA NEW HABITS COMIN' ALANG?
....

....

DAY NUMBER 21

DATE:
....

THAE THREE THINGS AH MUST DAE:

1: ....

2: ....

3: ....

WHA'S PUTTIN' A MUCKLE GREAT SMILE OAN MA COUPON?

....

....

....

WHA' ARE MA DREAMS?

....

....

....

HOWSE MA NEW HABITS COMIN' ALANG?

....

....

DAY NUMBER 22   DATE:

THAE THREE THINGS AH MUST DAE:

1:

2:

3:

WHA'S PUTTIN' A MUCKLE GREAT SMILE OAN MA COUPON?

WHA' ARE MA DREAMS?

HOWSE MA NEW HABITS COMIN' ALANG?

DAY NUMBER 23   DATE:
....

THAE THREE THINGS AH MUST DAE:

1:
....

2:
....

3:
....

WHA'S PUTTIN' A MUCKLE GREAT SMILE OAN MA COUPON?
....

....

....

WHA' ARE MA DREAMS?
....

....

....

HOWSE MA NEW HABITS COMIN' ALANG?
....

....

DAY NUMBER 24 DATE:

THAE THREE THINGS AH MUST DAE:

1:

2:

3:

WHA'S PUTTIN' A MUCKLE GREAT SMILE OAN MA COUPON?

WHA' ARE MA DREAMS?

HOWSE MA NEW HABITS COMIN' ALANG?

DAY NUMBER 25

DATE:
....

THAE THREE THINGS AH MUST DAE:

1:
....

2:
....

3:
....

WHA'S PUTTIN' A MUCKLE GREAT SMILE OAN MA COUPON?

....

....

WHA' ARE MA DREAMS?

....

....

HOWSE MA NEW HABITS COMIN' ALANG?

....

DAY NUMBER 26   DATE:

THAE THREE THINGS AH MUST DAE:

1: ....

2: ....

3: ....

WHA'S PUTTIN' A MUCKLE GREAT SMILE OAN MA COUPON?

....

....

WHA' ARE MA DREAMS?

....

....

HOWSE MA NEW HABITS COMIN' ALANG?

....

DAY NUMBER 27   DATE:
....

THAE THREE THINGS AH MUST DAE:

1:
....

2:
....

3:
....

WHA'S PUTTIN' A MUCKLE GREAT SMILE OAN MA COUPON?
....

....

WHA' ARE MA DREAMS?
....

....

HOWSE MA NEW HABITS COMIN' ALANG?
....

....

DAY NUMBER 28

DATE:

THAE THREE THINGS AH MUST DAE:

1: ....

2: ....

3: ....

WHA'S PUTTIN' A MUCKLE GREAT SMILE OAN MA COUPON?

....

....

WHA' ARE MA DREAMS?

....

....

HOWSE MA NEW HABITS COMIN' ALANG?

....

DAY NUMBER 29   DATE:
....

THAE THREE THINGS AH MUST DAE:

1:
....

2:
....

3:
....

WHA'S PUTTIN' A MUCKLE GREAT SMILE OAN MA COUPON?
....

....

....

WHA' ARE MA DREAMS?
....

....

....

HOWSE MA NEW HABITS COMIN' ALANG?
....

....

DAY NUMBER 30 .... DATE: ....

THAE THREE THINGS AH MUST DAE:

1: ....

2: ....

3: ....

WHA'S PUTTIN' A MUCKLE GREAT SMILE OAN MA COUPON?

....

....

WHA' ARE MA DREAMS?

....

....

HOWSE MA NEW HABITS COMIN' ALANG?

....

DAY NUMBER 31   DATE:
....

THAE THREE THINGS AH MUST DAE:

1: ....

2: ....

3: ....

WHA'S PUTTIN' A MUCKLE GREAT SMILE OAN MA COUPON?

....

....

WHA' ARE MA DREAMS?

....

....

HOW'SE MA NEW HABITS COMIN' ALANG?

....

....

DAY NUMBER 32

DATE:

THAE THREE THINGS AH MUST DAE:

1:

2:

3:

WHA'S PUTTIN' A MUCKLE GREAT SMILE OAN MA COUPON?

WHA' ARE MA DREAMS?

HOWSE MA NEW HABITS COMIN' ALANG?

DAY NUMBER 33 .... DATE: ....

THAE THREE THINGS AH MUST DAE:

1: ....

2: ....

3: ....

WHA'S PUTTIN' A MUCKLE GREAT SMILE OAN MA COUPON? ....

....

....

WHA' ARE MA DREAMS? ....

....

....

HOWSE MA NEW HABITS COMIN' ALANG? ....

....

DAY NUMBER 34

DATE:

THAE THREE THINGS AH MUST DAE:

1: ....

2: ....

3: ....

WHA'S PUTTIN' A MUCKLE GREAT SMILE OAN MA COUPON?

....

....

WHA' ARE MA DREAMS?

....

....

HOWSE MA NEW HABITS COMIN' ALANG?

....

DAY NUMBER 35

DATE:
....

THAE THREE THINGS AH MUST DAE:

1:
....

2:
....

3:
....

WHA'S PUTTIN' A MUCKLE GREAT SMILE OAN MA COUPON?
....

....

....

WHA' ARE MA DREAMS?
....

....

....

HOWSE MA NEW HABITS COMIN' ALANG?
....

....

DAY NUMBER 36

DATE: ....

THAE THREE THINGS AH MUST DAE:

1: ....

2: ....

3: ....

WHA'S PUTTIN' A MUCKLE GREAT SMILE OAN MA COUPON?

....

....

WHA' ARE MA DREAMS?

....

....

HOWSE MA NEW HABITS COMIN' ALANG?

....

DAY NUMBER 37 .... DATE: ....

THAE THREE THINGS AH MUST DAE:

1: ....

2: ....

3: ....

WHA'S PUTTIN' A MUCKLE GREAT SMILE OAN MA COUPON? ....

....

....

WHA' ARE MA DREAMS? ....

....

....

HOWSE MA NEW HABITS COMIN' ALANG? ....

....

DAY NUMBER 38

DATE:

THAE THREE THINGS AH MUST DAE:

1:

2:

3:

WHA'S PUTTIN' A MUCKLE GREAT SMILE OAN MA COUPON?

WHA' ARE MA DREAMS?

HOWSE MA NEW HABITS COMIN' ALANG?

DAY NUMBER 39

DATE:

THAE THREE THINGS AH MUST DAE:

1:

2:

3:

WHA'S PUTTIN' A MUCKLE GREAT SMILE OAN MA COUPON?

WHA' ARE MA DREAMS?

HOWSE MA NEW HABITS COMIN' ALANG?

DAY NUMBER 40 .... DATE: ....

THAE THREE THINGS AH MUST DAE:

1: ....

2: ....

3: ....

WHA'S PUTTIN' A MUCKLE GREAT SMILE OAN MA COUPON?

....

....

WHA' ARE MA DREAMS?

....

....

HOWSE MA NEW HABITS COMIN' ALANG?

....

DAY NUMBER 41 .... DATE: ....

THAE THREE THINGS AH MUST DAE:

1: ....

2: ....

3: ....

WHA'S PUTTIN' A MUCKLE GREAT SMILE OAN MA COUPON?
....

....

....

WHA' ARE MA DREAMS?
....

....

....

HOWSE MA NEW HABITS COMIN' ALANG?
....

....

DAY NUMBER 42 .... DATE: ....

THAE THREE THINGS AH MUST DAE:

1: ....

2: ....

3: ....

WHA'S PUTTIN' A MUCKLE GREAT SMILE OAN MA COUPON?

....

....

WHA' ARE MA DREAMS?

....

....

HOWSE MA NEW HABITS COMIN' ALANG?

....

DAY NUMBER 43   DATE: ....

THAE THREE THINGS AH MUST DAE:

1: ....

2: ....

3: ....

WHA'S PUTTIN' A MUCKLE GREAT SMILE OAN MA COUPON?

....

....

WHA' ARE MA DREAMS?

....

....

HOWSE MA NEW HABITS COMIN' ALANG?

....

DAY NUMBER 44   DATE:

THAE THREE THINGS AH MUST DAE:

1:

2:

3:

WHA'S PUTTIN' A MUCKLE GREAT SMILE OAN MA COUPON?

WHA' ARE MA DREAMS?

HOWSE MA NEW HABITS COMIN' ALANG?

DAY NUMBER 45 · DATE: ·

THAE THREE THINGS AH MUST DAE:

1: ·

2: ·

3: ·

WHA'S PUTTIN' A MUCKLE GREAT SMILE OAN MA COUPON? ·

· ·

· ·

WHA' ARE MA DREAMS? ·

· ·

· ·

HOWSE MA NEW HABITS COMIN' ALANG? ·

· ·

DAY NUMBER 46   DATE:
....

THAE THREE THINGS AH MUST DAE:

1:
....

2:
....

3:
....

WHA'S PUTTIN' A MUCKLE GREAT SMILE OAN MA COUPON?
....

....

....

WHA' ARE MA DREAMS?
....

....

....

HOWSE MA NEW HABITS COMIN' ALANG?
....

....

DAY NUMBER 47 .... DATE: ....

THAE THREE THINGS AH MUST DAE:

1: ....

2: ....

3: ....

WHA'S PUTTIN' A MUCKLE GREAT SMILE OAN MA COUPON? ....

....

....

WHA' ARE MA DREAMS? ....

....

....

HOWSE MA NEW HABITS COMIN' ALANG? ....

....

DAY NUMBER 48

DATE:
....

THAE THREE THINGS AH MUST DAE:

1:
....

2:
....

3:
....

WHA'S PUTTIN' A MUCKLE GREAT SMILE OAN MA COUPON?
....

....

....

WHA' ARE MA DREAMS?
....

....

....

HOWSE MA NEW HABITS COMIN' ALANG?
....

....

DAY NUMBER 49 .... DATE: ....

THAE THREE THINGS AH MUST DAE:

1: ....

2: ....

3: ....

WHA'S PUTTIN' A MUCKLE GREAT SMILE OAN MA COUPON? ....

....

....

WHA' ARE MA DREAMS? ....

....

....

HOWSE MA NEW HABITS COMIN' ALANG? ....

....

94

DAY NUMBER 50   DATE:

THAE THREE THINGS AH MUST DAE:

1:

2:

3:

WHA'S PUTTIN' A MUCKLE GREAT SMILE OAN MA COUPON?

WHA' ARE MA DREAMS?

HOWSE MA NEW HABITS COMIN' ALANG?

DAY NUMBER 51   DATE:
....

THAE THREE THINGS AH MUST DAE:

1:
....

2:
....

3:
....

WHA'S PUTTIN' A MUCKLE GREAT SMILE OAN MA COUPON?
....

....

....

WHA' ARE MA DREAMS?
....

....

....

HOWSE MA NEW HABITS COMIN' ALANG?
....

....

DAY NUMBER 52 .... DATE: ....

THAE THREE THINGS AH MUST DAE:

1: ....

2: ....

3: ....

WHA'S PUTTIN' A MUCKLE GREAT SMILE OAN MA COUPON?
....

....

WHA' ARE MA DREAMS?
....

....

HOWSE MA NEW HABITS COMIN' ALANG?
....

....

DAY NUMBER 53   DATE:

THAE THREE THINGS AH MUST DAE:

1:

2:

3:

WHA'S PUTTIN' A MUCKLE GREAT SMILE OAN MA COUPON?

WHA' ARE MA DREAMS?

HOWSE MA NEW HABITS COMIN' ALANG?

DAY NUMBER 54

DATE:
....

THAE THREE THINGS AH MUST DAE:

1: ....

2: ....

3: ....

WHA'S PUTTIN' A MUCKLE GREAT SMILE OAN MA COUPON?

....

....

WHA' ARE MA DREAMS?

....

....

HOWSE MA NEW HABITS COMIN' ALANG?

....

....

DAY NUMBER 55 .... DATE: ....

THAE THREE THINGS AH MUST DAE:

1: ....

2: ....

3: ....

WHA'S PUTTIN' A MUCKLE GREAT SMILE OAN MA COUPON? ....

....

....

WHA' ARE MA DREAMS? ....

....

....

HOWSE MA NEW HABITS COMIN' ALANG? ....

....

DAY NUMBER 56

DATE:
....

THAE THREE THINGS AH MUST DAE:

1: ....
....

2: ....
....

3: ....
....

WHA'S PUTTIN' A MUCKLE GREAT SMILE OAN MA COUPON?

....

....

....

WHA' ARE MA DREAMS?

....

....

....

HOWSE MA NEW HABITS COMIN' ALANG?

....

....

DAY NUMBER 57

DATE:

THAE THREE THINGS AH MUST DAE:

1:

2:

3:

WHA'S PUTTIN' A MUCKLE GREAT SMILE OAN MA COUPON?

WHA' ARE MA DREAMS?

HOWSE MA NEW HABITS COMIN' ALANG?

DAY NUMBER 58 .... DATE: ....

THAE THREE THINGS AH MUST DAE:

1: ....

2: ....

3: ....

WHA'S PUTTIN' A MUCKLE GREAT SMILE OAN MA COUPON?

....

....

WHA' ARE MA DREAMS?

....

....

HOWSE MA NEW HABITS COMIN' ALANG?

....

DAY NUMBER 59 DATE:

THAE THREE THINGS AH MUST DAE:

1:

2:

3:

WHA'S PUTTIN' A MUCKLE GREAT SMILE OAN MA COUPON?

WHA' ARE MA DREAMS?

HOWSE MA NEW HABITS COMIN' ALANG?

DAY NUMBER 60 .... DATE: ....

THAE THREE THINGS AH MUST DAE:

1: ....

2: ....

3: ....

WHA'S PUTTIN' A MUCKLE GREAT SMILE OAN MA COUPON?

....

....

WHA' ARE MA DREAMS?

....

....

HOWSE MA NEW HABITS COMIN' ALANG?

....

DAY NUMBER 61   DATE:
....

THAE THREE THINGS AH MUST DAE:

1:
....

2:
....

3:
....

WHA'S PUTTIN' A MUCKLE GREAT SMILE OAN MA COUPON?

....

....

WHA' ARE MA DREAMS?

....

....

HOWSE MA NEW HABITS COMIN' ALANG?

....

....

DAY NUMBER 62

DATE: ....

THAE THREE THINGS AH MUST DAE:

1: ....

2: ....

3: ....

WHA'S PUTTIN' A MUCKLE GREAT SMILE OAN MA COUPON?

....

....

WHA' ARE MA DREAMS?

....

....

HOWSE MA NEW HABITS COMIN' ALANG?

....

DAY NUMBER 63   DATE:
....

THAE THREE THINGS AH MUST DAE:

1:
....

2:
....

3:
....

WHA'S PUTTIN' A MUCKLE GREAT SMILE OAN MA COUPON?
....

....

....

WHA' ARE MA DREAMS?
....

....

....

HOWSE MA NEW HABITS COMIN' ALANG?
....

....

DAY NUMBER 64   DATE:

THAE THREE THINGS AH MUST DAE:

1: ....

2: ....

3: ....

WHA'S PUTTIN' A MUCKLE GREAT SMILE OAN MA COUPON?

....

....

WHA' ARE MA DREAMS?

....

....

HOWSE MA NEW HABITS COMIN' ALANG?

....

DAY NUMBER 65   DATE:
....

THAE THREE THINGS AH MUST DAE:

1:
....

2:
....

3:
....

WHA'S PUTTIN' A MUCKLE GREAT SMILE OAN MA COUPON?
....

....

....

WHA' ARE MA DREAMS?
....

....

....

HOWSE MA NEW HABITS COMIN' ALANG?
....

....

DAY NUMBER 66 .... DATE: ....

THAE THREE THINGS AH MUST DAE:

1: ....

2: ....

3: ....

WHA'S PUTTIN' A MUCKLE GREAT SMILE OAN MA COUPON?

....

....

WHA' ARE MA DREAMS?

....

....

HOWSE MA NEW HABITS COMIN' ALANG?

....

IT'S UP TAE YOU!

IT'S BRAW TAE FREEWHEEL DOON THE HILL
SUN SHININ' BRAW AN' BRICHT,
AN' YE'VE GOT TWA NEW SHINY WHEELS
OAN YER NEW BONNIE BIKE
AN' IVRYWAN CRIES GAUN YERSEL'
YE BIG BRAW STOATIN' BELTER!
YER WHEELS GLIDE EASY ROOND AN' ROOND
LIK' DOON A HELTER SKELTER.

BUT WHIT ABOOT THAE TIMES IN LIFE
THINGS ARENAE QUITE SAE EASY?
THE WIND IS CAULD, THE HAIL IS SHARP
AN' SCOTCH PIES MAK' YE QUEASY.
THE WURLD SEEMS HARD AN' CRABBIT,
THE DAYS SEEM TOUGH AN' LANG
AN' SUDDENLY YE'RE NO' YERSEL',
YE DINNAE FEEL SAE STRANG.

A'HING JIST GETS OAN YER WICK,
YE START TAE FEEL RICHT DOON,
YE PARK YER ERSE, YE START TAE PLAY
SAD GREETIN' BLEATIN' TUNES.
YE SHOUT TAE THON ALEXA
TAE PLAY AT HER FOO BLAST,
YE FEEL THE WURLD WITHOOT YE
CAN JIST GO JOGGIN' PAST.

YE DINNAE WASH FUR DAYS OAN END,
YE DINNAE BRUSH YER HAIR,
A'THING MAKS YER TEETH ITCH
AN' NOTHIN' SEEMS QUITE FAIR.
YE DINNAE CALL YER PALS AROOND,
YE DINNAE TOUCH YER PHONE,
YE JIST PULL THAE DARK CURTAINS TO
AN' MAK' LIK' YE'RE NAE HOME.

JINGS, TIME TAE SAY, ENUF O' THIS!
TIME TAE REWIRE YER NAPPER,
TIME TAE GET YER ERSE IN GEAR
AN' RUN JIST LIK' THE CLAPPERS
COS IT'S TIME TAE PUT THAE FIRES OOT,
AN' TIME TAE CLEAR THE DECKS,
TIME TAE MAK' SUM CHANGES,
AN' WATCH WHA' HAPPENS NEXT.

AYE, TIME TAE CHANGE YER HABITS —
STICK WI' 'EM AN' BE STRANG,
FUR THEY'LL JIST CLEAR YER HEID OOT,
AN' HELP YER DAYS ALANG.
YE'LL START TAE PLAN YER GOALS IN LIFE
NAE BETTER TIME THAN NOO,
AYE, WANCE YE GIT THE HANG O' IT
YE'LL KEN IT'S UP TAE YOU.

A WEE BIT O' HELP WI' SUM O' THAE TRICKY SCOTS WURDS

bampot	stupid person
belter	great person
braw	good, great, brilliant
bunnet	hat
clatters	loud clattering worries
erse	backside
foosty	stuffy
haudin'	holding
jump juice	energy drink
mebbes	maybe
napper	head
oan the radge	in a rage
piece	sandwich
pinger	microwave
scratcher	bed
shooglin'	vibrating, wiggling
stramash	racket, noisy fuss
stoatin'	cracking, great, brilliant
semmit	vest
weans	children

Mair frae the Wee Book Company ...

OOT NOO – GAUN GIT YER SKATES OAN!
The Wee Book o' Grannies' Sayin's
The Wee Book o' Pure Stoatin' Joy
The Wee Book o' Cludgie Banter
Ma Wee Book o' Clarty Secrets
Big Tam's Kilted Wurkoots

NO' OOT NOO, BUT OOT SOON – KEEP YER E'EN PEELED!
The Wee Book o' Winchin'
The Wee Book o' Napper Nippin' Puzzles
If It's Broon It's Cooked, If It's Black It's Buggert – Yer Ain Kitchen Journal
Bite Ma Scone – Yer Big Braw Bakin' Journal
Dear Aunty May – Selected Letters to Edinburgh's Favourite Agony Aunt
A Guy Scunnert Guide to the Nine to Five
Scotland's Witches and Wizards – Stranger Than Fiction
Arthur, the Sleepy Giant
Big Morag the Tartan Fairy

The Wee Book Company

Why no' hoof it o'er tae **www.theweebookcompany.com** an' get yer paws oan a FREE Scottish Doonload or twa? There's a'ways plenty gaun oan a' The Wee Book Company, includin' the launch o' the Wee Book Club, which'll be offerin' exclusive signed books an' gifts, audio doonloads an' a' sorts tae wur member pals.

Come an' join us!